Carlos

ALFAGUARA
Infantil

TITULO ORIGINAL:
CARLOS

Del texto: 2001, Ivar Da Coll
De las ilustraciones: 2001, Ivar Da Coll

De esta edición:
ALFAGUARA

2004, Distribuidora y Editora Aguilar, Altea, Taurus, Alfaguara, S. A.
Calle 80 No. 10-23
Teléfono 6 35 12 00
Bogotá, Colombia

• Aguilar, Altea, Taurus, Alfaguara, S. A.
Beazley 3860. 1437, Buenos Aires
• Santillana Ediciones Generales S. L.
Torrelaguna, 60. 28043, Madrid
• Aguilar, Altea, Taurus, Alfaguara, S. A. de C. V.
Avenida Universidad, 767. Colonia del Valle
03100 México, D.F.

ISBN: 958-704-239-5

Una editorial del grupo **Santillana** que edita en:
España • Argentina • Bolivia • Colombia • Costa Rica • Chile
México • EE. UU. • Perú • Portugal • Puerto Rico • Venezuela
Uruguay • Guatemala • Ecuador • República Dominicana
El Salvador • Honduras • Panamá • Paraguay

Diseño de la colección:
JOSÉ CRESPO, ROSA MARÍN, JESÚS SANZ

Carlos

Ilustraciones del autor

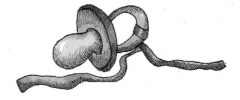

Para Carlos Pérez L.

La familia

Éste es papá,

ésta es mamá,

la abuela y…

…Carlos. Es decir…

...una familia muy,
pero muy bonita.

¡Ah!… por poco me olvido de Cristóbal.
Cristóbal siempre está con Carlos y cuando
se siente feliz hace prr, prr.

La señorita Flori

La seño Flori está en la escuela.
Ella hace cosas muy divertidas
con Carlos y sus compañeros.

plastilina

jugar con los cubos

contar

y cantar

Hace poco Carlos y Lily
y José y Mariana y Chela
aprendieron los colores con
la maestra Flori:
—Amarillo es el sol —dijo Lily.
—Verdes los dinosaurios y las
lagartijas —dijo José.

—El cielo es azul y el mar
también —dijo Mariana.
—Morados son los
monstruos —dijo Carlos.
—Rojos los tomates y Carlos
cuando le doy un beso —dijo
Chela.

A Carlos le gustó mucho eso
de los colores y, para no
olvidarlos, al llegar
a casa los pintó por todas
partes.

Cuando papá vio esto dijo:
—¡Oh! ¡Qué bonito!
Hijo, eres un artista.

En cambio a mamá no le gustó para nada.
Así que Carlos y papá estuvieron un buen
rato limpiando con agua y jabón para que
mamá dejara de sentirse molesta.

Más tarde al entrar en la cocina, mamá le dijo a Carlos:
—Hijo, eres un artista.
Cuando vio un dibujo lleno de color que él había
hecho y que papá le había ayudado a pegar sobre la
puerta del refrigerador.
Entonces Carlos se sintió feliz.

Mamá

Un día Carlos notó que
mamá tenía una barriga
enorme y le preguntó:

—¿Comiste mucho pastel?
—No —le respondió ella.

Como la panza de mamá estaba inflada Carlos se acordó cuando…

…se machucó un dedo que se inflamó y le dolió.

Cuando se golpeó la cabeza y le salió un chichón…
…también se inflamó y le dolió.

Entonces volvió a preguntar:
—Pero… tu barriga está muy inflamada.
¿No te duele?
—No —dijo mamá—. Es un bebé y los bebés
no duelen.
¡Son maravillosos!

Y mamá le contó cosas que pasaron cuando Carlos era un bebé:

Papá estaba feliz.

Mamá estaba feliz.

Y la abuela también
estaba feliz.

Y todos decían de él:

"Eres la cosa más linda de mundo".

Entonces Carlos se alegró porque vendría
un bebé a casa y quería que llegara ya.

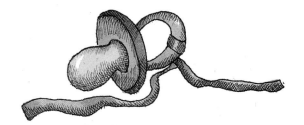

La abuela

Cuando papá y mamá fueron
al hospital a tener el bebé, la
abuela vino a jugar con Carlos.

Ella hizo todo lo que Carlos le pidió y
eso fue muy divertido.
Primero jugaron a la escuela y ¿quién
fue el profesor? Carlos, por supuesto.
Moldearon plastilina, ordenaron los
cubos, contaron, cantaron y la abuela
aprendió los colores. Entonces dijo:
—¡Oh, profe! Esto es muy interesante.

Más tarde Carlos dijo:

—Es hora de comer.

Y preparó una deliciosa sopa de tierra, flores y pasto.

—¡Exquisita! —dijo la abuela—. Usted es un gran cocinero.

Luego fueron a la sala a jugar a
la playa.
La abuela preparó limonada y los
dos dijeron a la vez:
—¡Qué bien se está aquí!

Más tarde dejaron de jugar pues ya
regresaban papá y mamá con el bebé.

El bebé

Las cosas cambiaron porque:
Carlos quería dibujar pero papá estaba bañando al bebé.

Carlos quería escuchar un cuento pero
mamá estaba alimentando al bebé.

Carlos quería jugar pero la
abuela estaba arrullando al bebé.

Una noche, a la hora de cenar,
todos estaban sentados a la
mesa, todos menos Carlos.

Entonces lo llamaron pero no respondió.
Volvieron a llamarlo y nada. Así, pues,
decidieron buscarlo.

De pronto sintieron ruiditos en la
habitación donde el bebé dormía y
al asomarse vieron a Carlos parado
junto a la cuna diciendo:
—¡Vete, bebé! ¡Vete!

Papá, mamá y la abuela, que alcanzaron a escucharlo, le explicaron que el bebé iba a estar con ellos por mucho tiempo, mucho tiempo, es decir, por siempre.

—¿Y jugará conmigo? —preguntó Carlos.
—Él va a ser tu mejor, mejor amigo —dijo papá.
Estaba muy feliz, dichoso, por tener al bebé en casa.
Después de cenar sintió mucho sueño.

Entonces papá lo llevó en brazos a su cama.
Mamá le leyó un cuento. Y la abuela le
cantó una canción mientras se iba
quedando dormido.

Carlos soñó que hacía cosas
en compañía del bebé.

Cuando despertó estaba feliz por tener
una familia muy pero muy bonita
y ahora más grande.

Este libro
se terminó de imprimir en los
talleres gráficos de Grupo OP Gráficas S.A.,
en el mes de noviembre de 2004,
Bogotá, Colombia.